LIETUVA LITHUANIA

Fotografijų autorius Antanas Sutkus
Sudarytojas ir tekstų autorius Alfredas Bumblauskas

Lietuvos fotomenininkų sąjungos fondas   Vilnius   1992

ISBN 5 - 89942 - 274 - 2

LIETUVA - GEOGRAFINIS EUROPOS CENTRAS

LITHUANIA - GEOGRAPHICAL CENTER OF EUROPE

Jau seniai pastebėta, kad Europos žemėlapyje nubrėžus linijas, jungiančias Gibraltarą su šiaurine Uralo kalnų dalimi, Škotiją su Kaukazo kalnais, pietines Graikijos salas su Norvegijos šiaure, beveik visos šios linijos susikerta Lietuvoje, kurioje ir yra geografinis Europos centras.

Visai neseniai Prancūzijos Nacionalinis geografijos institutas atliko naujus skaičiavimus, pagal kuriuos iš 180 km aukščio geografiškai išvestas centro statmuo yra 25 km į šiaurę nuo Lietuvos sostinės Vilniaus. Europos centro koordinatės: $54^0 55'$ šiaurės platumos, $25^0 19'$ rytų ilgumos.

Lietuva yra toje pačioje geografinėje platumoje kaip ir į vakarus nuo Lietuvos esančios pietų Švedija, Danija, Škotija; toje pačioje geografinėje ilgumoje kaip į šiaurę - Suomija, į pietus - Rumunija, Bulgarija, Graikija.

Lietuva yra kryžkelėje tarp Vakarų ir Rytų Europos: per Lietuvą eina tiesiausias kelias iš Vokietijos į Rusiją, per Lietuvą vokiečiai veržėsi į rytus, o rusai - į vakarus. Todėl kai kas yra sakęs: "Jei Šveicarijai būdinga aukšti kalnai, Italijai - meno kūriniai, Suomijai - ežerai, tai Lietuvą reikėtų pavadinti kraštu, kuriame labai pavojinga gyventi mažai tautai".

Nors Lietuva yra geografinis Europos centras, tačiau ji dažnai laikoma Rytų Europos dalimi. Tokiais atvejais turima galvoje ne tiek geografinė, kiek geopolitinė krašto padėtis: XIX-XX a. ji juk ne kartą buvo okupuota ir prisijungta Rytų kaimyno.

Tačiau civilizacijos požiūriu Lietuva priklauso Vidurio Europai. Joje, skirtingai nei Rytų Europoje, nuo viduramžių kūrėsi individualus valstiečių ūkis, o ne bendruomenė, formavosi pilietinė visuomenė, o ne rytietiška despotija, vyravo vakarietiška kultūrinė orientacija ir katalikybė, o ne stačiatikybė.

Šiandien politiniu požiūriu Lietuva orientuojasi ne tik į Vidurio, bet ir į Šiaurės Europą, siekia gerų santykių su visais kaimynais.

Long ago it has been noticed that, if one drew lines on the map of Europe, connecting Gibraltar and the northern part of the Urals, Scotland and the Caucasus mountains, the southern islands of Greece and the North of Norway, almost all of those lines would intersect in Lithuania; actually it is here that the geographical center of Europe is situated.

Quite recently the French National Geography Institute carried out new calculations, according to which the perpendicular of the center, dropped geographically from the altitude of 180 km, is located 25 km to the North from the Lithuanian capital Vilnius. These are the co-ordinates of Europe's center: latitude $54^0 55'$ N, longitude - $25^0 19'$ E. Lithuania lies on the same geographical latitude as the westward-situated South Sweden, Denmark, Scotland; the same longitude as Finland to the north and Romania, Bulgaria and Greece to the south.

Lithuania lies on the road between East Europe and West Europe, as the straightest road from Germany to Russia crosses Lithuania. Thus, the great German assault to the East, as well as that of the Russians to the West, used to be carried out through Lithuania. Somebody has remarked to this point: "If Switzerland is characterized by high mountains, Italy - by its works of art, Finland - by its lakes, then Lithuania should be characterized as a land, very unsafe to live in for a small nation".

In spite of Lithuania being the center of Europe, it is often considered a part of East Europe. However, the country's geopolitical and not geographical situation is meant in such cases- anyhow, it was frequently occupied and made a part of the Eastern neighbor in the 19th - 20th centuries.

Nevertheless, Lithuania belongs to Central Europe from the point of view of its civilization. Unlike in the Eastern Europe, since the Middle Ages, individual peasant farms and not communities were forming here, a civil society and not Eastern despotism was rising, Catholicism and the Western cultural orientation were dominating over the Orthodoxy and Byzantine civilization.

Today Lithuania guides itself in the political sense not only to the Central, but also to the North Europe and desires to maintain good relations with all her neighbors.

PAGRINDINIAI DUOMENYS APIE LIETUVĄ

Valstybė:
oficialus pavadinimas -
          Lietuvos Respublika
aukščiausias valdžios organas -
          Aukščiausioji Taryba
santvarka - parlamentinė respublika
sostinė - Vilnius

Sienos:
su Latvija - 610 km
su Baltarusija - 724 km
su Lenkija - 110 km
su Rusija (Kaliningrado sritimi) - 303 km
jūrų siena (Baltijos jūra) - 99 km

Lietuvos plotas - 65,2 tūkst. km^2

Didžiausias atstumas:
iš rytų į vakarus - 373 km
iš šiaurės į pietus - 276 km

Gyventojų skaičius - 3 mln. 723 tūkst.

Gyventojų tankumas - 57 žmonės viename kvadratiniame kilometre

Miestuose gyvena 68,5% visų gyventojų

Didžiausi miestai:
Vilnius - 592,5 tūkst. gyventojų
Kaunas - 429,7 tūkst. gyventojų
Klaipėda - 206,2 tūkst. gyventojų

MAIN DATA ABOUT LITHUANIA

The state:
official name -
          the Republic of Lithuania
highest body of power -
          Supreme Council
system - parliamentary republic
capital - Vilnius

Borders:
with Latvia - 610 km
with Byelorussia - 724 km
with Poland - 110 km
with Russia (Kaliningrad region) - 303 km
sea border (Baltic Sea) - 99 km

Lithuania's area - 65.2 sq.km

Longest distances:
from the East to the West - 373 km
from the North to the South - 276 km

Population - 3,723 thousand

Density of population - 57.1 per square kilometer

68.5% of the entire population resides in towns

Major towns:
Vilnius - 592.5 thousand
Kaunas - 429.7 thousand
Klaipėda - 206.2 thousand

SVARBIAUSIOS LIETUVOS ISTORIJOS DATOS

1009 - šv. Brunonas atranda Lietuvą

1253.VII.6 - susikūrusios Lietuvos valstybės valdovas Mindaugas vainikuojasi karaliumi

1385 - pagal Krėvos sutartį Lietuvos didysis kunigaikštis Jogaila tampa Lenkijos karaliumi. Prasideda Lietuvos ir Lenkijos suartėjimas

1387 - Lietuvos krikštas

1410 - Žalgirio (Griunvaldo) mūšis. Lenkijos ir Lietuvos jungtinė kariuomenė sutriuškina Vokiečių ordiną, kėlusį grėsmę abiejų valstybių egzistencijai

1569 - Liublino unija. Susikuria jungtinė Lenkijos ir Lietuvos valstybė

1795 - Rusija, Austrija ir Prūsija galutinai pasidalija Lenkijos ir Lietuvos valstybę. Didžioji Lietuvos dalis atitenka Rusijai

1863 - didžiausias sukilimas prieš Rusijos priespaudą. Jį numalšinus, prasidėjo represijų ir rusifikacijos metas

1918.II.16 - Vokietijos okupacijos sąlygomis J. Basanavičiaus vadovaujama Lietuvos Taryba paskelbia nepriklausomos Lietuvos valstybės atkūrimą

1940.VI.15 - realizuodama Molotovo-Ribbentropo paktą, Sovietų Sąjunga okupuoja ir aneksuoja Lietuvos Respubliką. Sudaroma marionetinė vyriausybė ir paskelbiama, kad sukuriama Lietuvos Tarybų Socialistinė Respublika

1944-1953 - Sovietų Sąjungos organizuotų represijų, deportacijų, masinės kolektyvizacijos ir Lietuvos ginkluotos rezistencijos laikotarpis

1990.III.11 - Lietuvos Respublikos Aukščiausioji Taryba paskelbia Lietuvos nepriklausomybės atkūrimą

THE MAIN DATES OF LITHUANIA'S HISTORY

1009 - St. Bruno discovers Lithuania

July 6, 1253 - Mindaugas, the ruler of the newly-formed Lithuanian state, is coronated the King

1385 - by the treaty of Krėva Jogaila, Grand Duke of Lithuania, becomes King of Poland. Rapproachement commences between Lithuania and Poland

1387 - baptism of Lithuania

1410 - the battle of Žalgiris (Gruenwald). Joint forces of Poland and Lithuania crush the Teutonic Order, formerly causing great menace to the existence of both states

1569 - the Lublin Union. A joint Polish-Lithuanian state is established

1795 - Russia, Austria and Prussia finally share the Polish-Lithuanian state among themselves. The larger part of Lithuania goes to Russia

1863 - largest uprisal, directed against the Russian oppression. Its suppression gives start to a period of hardest reprisals and Russification

February 16, 1918 - under Germany's occupation, the Council of Lithuania, headed by J. Basanavičius, proclaims the reconstitution of the independent state of Lithuania

June 15, 1940 - implementing the Molotov - Ribbentrop pact, the Soviet Union invades the Republic of Lithuania and annexes it. A puppet government is formed, and the establishment of the Lithuanian Soviet Socialist Republic is announced

1944-1953 - the period of reprisals, deportations, mass collectivization, organized by the Soviet Union, and of armed resistance in Lithuania

March 11, 1990 - the Supreme Soviet of the Republic of Lithuania proclaims the restitution of the Republic of Lithuania

LIETUVOS DIDŽIOJI KUNIGAIKŠTYSTĖ: VALSTYBĖ IR CIVILIZACIJA

THE GRAND DUCHY OF LITHUANIA: STATE AND CIVILIZATION

Lietuva nuo kitų Pabaltijo šalių - Latvijos ir Estijos - skiriasi tuo, kad jau viduramžiais (XIII-XVIII a.) buvo sukūrusi savo valstybę - Lietuvos Didžiąją Kunigaikštystę. Ji buvo išplėtusi teritoriją toli į rytus (XV a. pradžioje valstybės plotas - 1 mln. km²), tapusi didvalstybe ir reikšminga politine jėga Rytų ir Vidurio Europoje. Tai leido atlaikyti Vokiečių ordino agresiją ir 1410 m. kartu su Lenkija laimėti lemtingą Griunvaldo mūšį. Nuo XIV a. pabaigos 200 metų Lenkijos soste (XVI a. pradžioje dar ir Čekijos bei Vengrijos) sėdėjo lietuvių kilmės Jogailaičių dinastijos atstovai ir dažniausiai jie buvo bendri tiek Lenkijos, tiek Lietuvos valdovai. XVI a. viduryje pradėjus labiau reikštis rusų valstybei, Lietuva buvo priversta sudaryti stipresnę sąjungą su Lenkija. 1569 m. susikūrė jungtinė Lenkijos ir Lietuvos valstybė, kurioje Lietuvos Didžioji Kunigaikštystė išlaikė suverenitetą. Tai būtina pabrėžti, nes Europos istoriografijoje Lenkijos ir Lietuvos valstybė dažnai klaidingai laikoma tik lenkų valstybe ir vadinama Lenkija. XVII-XVIII a. ši valstybė patyrė ūkinį ir politinį nuosmukį. Nors XVIII a. pabaigoje buvo bandoma įvykdyti reformas ir sustiprinti valstybę, tačiau tai padaryti trukdė kaimynės Rusija, Prūsija ir Austrija. 1795 m. jos įvykdė paskutinį Lenkijos ir Lietuvos valstybės padalijimą ir didžioji Lietuvos žemių dalis atiteko Rusijai.

1387 m. apsikrikštijusi, Lietuva atsigręžė į Vakarų kultūrą. Tiesa, po to beveik 200 metų teko tik mokytis ir vytis Vidurio Europos tautas. Rašto plitimas ir studijos Vakarų universitetuose pirmuosius žymesnius rezultatus pradėjo duoti XVI a. Pradedamos spausdinti knygos (1522 m.), netrukus kyla reformacija, sukūrusi sąlygas ir pirmai lietuviškai knygai (1547 m.). 1579 m. įkuriamas Vilniaus universitetas.

Europėjimo procesas reiškėsi ir tuo, kad Lietuva mokėsi kurti gotikos ir renesanso architektūrą. Tačiau europietiška architektūra čia labiausiai suklestėjo baroko laikais, kai Lietuvoje susiformavo originali ir savarankiška baroko mokykla. Apskritai europinių architektūros stilių raida nuo gotikos iki klasicizmo gerai matoma Vilniaus senamiestyje, kuris yra įspūdingas senosios Lietuvos civilizacijos paminklas.

Lithuania's difference from the other two Baltic states - Latvia and Estonia - lies in the fact that already in the Middle Ages, starting with the 13th and up to the 18th century, it had created and sustained its own state - the Grand Duchy of Lithuania. Its territory extended far to the East (the area of the state was 1 million square kilometres at the beginning of the 15th century), it had become a great power and a significant political force in the East and Middle Europe. This enabled it to oppose the aggression of the Teutonic Order and to reach, together with Poland, the decisive victory over it at Gruenwald battle in 1410. For 200 years since the end of the 14th century the Lithuanian dynasty of Jogailaičiai held the throne in Poland (at the beginning of the 16th century also in Bohemia and Hungary). Most often the representatives of that dynasty used to be common rulers of both Poland and Lithuania. However, the Grand Duchy of Lithuania remained an independent state till the second half of the 16th century, when the might of the Russian state became perceptibly stronger, and Lithuania was forced to conclude a must closer alliance with Poland. In 1569 the joint Polish-Lithuania state was formed, within which the Grand Duchy of Lithuania retained its sovereignty. This is worth emphasizing, because the European historians often erroneously consider the Polish-Lithuanian state to have been purely Polish and refer to it as Poland. In the 17th and 18th centuries that state experienced an economical and political decline. Although at the end of the 18th century attempts were taken at reforming and reinforcing the state, they were obstructed by the neighboring Russia, Prussia and Austria. In 1795 they executed the last division of the Polish-Lithuanian state and eliminated it. The main part of the Grand Duchy of Lithuania and the Lithuanian territories went to Russia.

After its baptism in 1387, Lithuania took a decisive turn towards the Western culture. As a matter of fact, in the course of about 200 years after it the nation could only study the experiences of other Middle European peoples and try to catch up with them. The spreading of studying at Western universities began yielding the first perceptible results in the 16th century. Printing of books was started (1522); soon the Reformation came into being, creating the conditions also for the appearance of the first Lithuanian book (1547). In 1579 Vilnius University was established.

The process of Europaeisation found its expression also in Lithuania's efforts to create Gothic and Renaissance architecture. However, the European architecture attained its highest achievements in the Baroque epoch, when a unique and independent Baroque school was formed. Generally the development of the European architectural styles, starting with Gothic and ending with Classicism, is best of all reflected in the old part of Vilnius, the integrity of which is an impressive proof of the old-time civilization in Lithuania.

VILNIUS - LIETUVOS SOSTINĖ

Vilnius - istorinė Lietuvos sostinė. Kai kas spėja, kad jame jau buvo pirmojo Lietuvos valdovo Mindaugo sostas. Pirmą sykį Vilnius paminėtas 1323 m., kada iš Vilniaus, kaip sostinės, Vakarų valdovams ir miestams laiškus rašė Lietuvos didysis kunigaikštis Gediminas.

1387 m. Vilnius, krikštijant Lietuvą, įgijo savivaldą - Magdeburgo teisę. Nors nuo šio laikotarpio Lietuva turėjo bendrus valdovus su Lenkija, kai kurie jų palaidoti ne Krokuvos, o Vilniaus katedroje. Lietuvos Didžiosios Kunigaikštystės sostine Vilnius išliko ir susikūrus jungtinei Lenkijos ir Lietuvos valstybei iki pat šios valstybės likvidavimo 1795 m.

1918 m. Vilniuje buvo pasirašytas Lietuvos Nepriklausomybės Aktas, kuriame skelbiamas Lietuvos valstybės atkūrimas su sostine Vilniumi. Nors Rusija Vilnių ir Vilniaus kraštą buvo pripažinusi Lietuvai, 1920 m. jį užgrobė Lenkija. Vilnius, kaip miestas ir kaip sostinė, grįžo Lietuvai tik 1939 m.

Vilnius - ne tik Lietuvos Respublikos sostinė, bet ir didžiausias Lietuvos miestas. Jame gyvena 592,5 tūkst. gyventojų, iš jų 51% lietuvių, 20% rusų, 19% lenkų. Miesto plotas - 26 tūkst. ha, pusę jo užima miškai ir parkai. Per Vilnių teka antroji pagal dydį Lietuvos upė Neris.

VILNIAUS UNIVERSITETAS

Pradžią jam davė 1570 m. jėzuitų įsteigta kolegija. 1579 m. balandžio 1 d. Lietuvos didysis kunigaikštis ir Lenkijos karalius Steponas Batoras pasirašė, o 1579 m. spalio 29 d. popiežius Grigalius XIII patvirtino privilegiją, kuria ši kolegija buvo pakelta į universitetą - Academia et universitas Vilnensis. Taip susikūrė paskutinysis ir labiausiai į rytus nutolęs iš ankstyvosios kūrimosi bangos Europos universitetas. Senasis Vilniaus universitetas pasižymėjo aukštu logikos, retorikos ir poetikos dėstymo lygiu. Atsigręžęs į pasaulietinius mokslus, jis ypač suklestėjo Švietimo epochoje. Vilniaus universitetas išleido į pasaulį europinio masto ir garso poetą Adomą Mickevičių. Universitetas veikė iki 1832 m. (uždarė Rusijos valdžia). Lenkams užėmus Vilnių, universitetas vėl pradėjo veikti. Tuo metu Vilniaus universitete studijavo būsimasis Nobelio premijos laureatas poetas Cz. Milosz. 1939 m., Lietuvai atgavus Vilnių, jis buvo reorganizuotas į lietuvišką universitetą.

Šiuo metu Vilniaus universitete yra susiformavusios tarptautinį pripažinimą turinčios matematikų, fizikų, baltistų mokyklos.

VILNIUS - THE CAPITAL OF LITHUANIA

Vilnius is the historical capital of Lithuania. Some specialists guess that the capital of Mindaugas, the first King of Lithuania, was here. The first written mention of Vilnius was made in 1323, when Gediminas, Grand Duke of Lithuania, wrote his letters to the Western rulers and towns from Vilnius as from his capital.

In 1387, during the baptism of Lithuania, Vilnius acquired the right to self-administration - the Magdeburg Rights. Although Lithuania and Poland had common rulers since that period, part of them were buried at the Vilnius Cathedral, and not in Cracow. Vilnius remained the capital of the Grand Duchy of Lithuania also after the joint Polish-Lithuanian state was established and up to the elimination of that state in 1795.

During the formation of the new Lithuanian state, the Act of the reconstitution of the independent Lithuanian state was signed in Vilnius in 1918, proclaiming Vilnius the capital of that state. Although the Soviet Union had ceded Vilnius and the surrounding area to Lithuania, Poland seized it in 1920. As the capital, Vilnius was turned back to Lithuania only in 1939.

Now Vilnius is not only the capital of the Republic of Lithuania, but also its largest town. Its population is 592.5 thousand people, among whom 51% are Lithuanians, 20% - Russians, 19% - Poles. The area of the town is 26 thousand hectares; forests and parks account for one half of it. Neris, Lithuania's second largest river, flows through Vilnius.

VILNIUS UNIVERSITY

Its sources lie in the Collegium, established by the Jesuits in 1570. On April 1, 1579, the Grand Duke of Lithuania and King of Poland Stephen Batory signed a privilege, according to which the Collegium was transformed into a university - Academia et Universitas Vilnensis, and on October 29, 1579, Pope Gregory XIII confirmed it. This is how the latest and the most eastward-located university of the early wave of forming universities in Europe came into being. The old Vilnius University was famous for the high level of teaching logic, rhetoric and poetics. The University flourished especially in the Age of Enlightment, when it started paying more attention to secular sciences. Adam Mickiewicz, a poet of European scale and fame, was also a graduate of Vilnius University. The University functioned till 1832, when it was closed by the authorities of the Russian Empire. When the Poles seized Vilnius, the University started functioning again. Future Nobel prize winner, the poet Cz. Milosz, studied at Vilnius University at that time. Its activies were resumed after World War I, when Vilnius became part of Poland. After Lithuania regained Vilnius in 1939, the University was re-organized as a Lithuanian one.

At present internationally recognized schools of mathematicians, physicists, Baltic linguists are functioning at Vilnius University.

XX A. VIDURIO LIETUVOS GYVENTOJŲ GENOCIDAS

THE GENOCIDE OF LITHUANIA'S POPULATION IN THE MID-20TH CENTURY

1940-1953 m. Lietuva buvo tris kartus okupuota (1940 m. - Sovietų Sąjungos, 1941 m. - Vokietijos, 1944 - vėl Sovietų Sąjungos). Okupacijos su bolševikiniu ir hitleriniu genocidu sukėlė ginkluotą rezistenciją, trukusią dar dešimtmetį po II pasaulinio karo pabaigos. Šiuo laikotarpiu Lietuva neteko 30% gyventojų. Tai vienas didžiausių nuostolių, tuo metu patirtų Europoje.

1941 m. pirma pusė - Lietuvos vokiečių repatriacija (50 000 žmonių); pirmoji masinė deportacija į Sovietų Sąjungą (35 000 žmonių)

1941-1944 m. - hitlerinis žydų tautos genocidas (250 000 žmonių)

1943-1944 m. -10 000 žmonių išvežama darbams į Vokietiją; 60 000 - emigruoja į Vakarus

1945 m. - emigruoja 140 000 Klaipėdos krašto gyventojų

1945-1946 m. - deportuota ("repatrijuota") 200 000 Lietuvos lenkų į Lenkiją

1945-1953 m. - masinės deportacijos į Sibirą ir kitus rytinius Sovietų Sąjungos regionus (250 000 žmonių)

1941-1951 m. - žuvo apie 50 000 rezistencijos dalyvių ir 25 000 tarybinių aktyvistų arba jiems priskiriamų žmonių

In the period of **1940-1953** Lithuania was occupied three times (1940 - by the USSR, 1941 - by Germany, 1944 - the USSR again). Each occupation was accompanied by the Bolshevist and Hitlerite genocide and resulted in armed resistence, which lasted for a decade after the end of World War II. Lithuania lost 30% of its population during that period. This loss was one of the heaviest in Europe.

1941, first half - the repatriation of the Lithuanian Germans (50,000 people); the first mass deportation into the USSR (35,000 people)

1941-1944 - the Nazi genocide of the Jewish nation (250,000 people)

1943-1944 - 10,000 people deported to Germany for labor; 60,000 people emigrated to the West

1945 - 140,000 residents of the Klaipėda region emigrated

1945-1946 - 200,000 Lithuanian Poles deported ("repatriated") to Poland

1945-1953 - mass deportations to Siberia and other Eastern areas of the USSR (250,000 people)

1941-1951 - death of about 50,000 participants of the resistence and 25,000 Soviet collaborators or people of a similar status

ŽEMĖS ŪKIS, PRAMONĖ, KELIAI

AGRICULTURE, INDUSTRY, ROADS

Lietuva nuo seno buvo žemės ūkio kraštas. Tačiau prijungimas prie Sovietų Sąjungos nebuvo palankus žemės ūkio vystymui (1940 m. vidutinis javų derlingumas - 9,4 cnt iš ha buvo pasiektas tiktai 1960 m.). Be to, pagal sovietinę industrializacijos schemą buvo stengiamasi Lietuvą paversti "industrine" valstybe, taip integruojant Lietuvos ekonomiką į Sovietų Sąjungos "vieningą liaudies ūkio kompleksą". Keletą dešimtmečių buvo laikomasi principo plėtoti tas pramonės šakas, kurios reikalauja mažai žaliavų ir daug kvalifikuotos darbo jėgos. Vėliau pamažu pereita prie pramonės gigantų statybos. Taip Lietuvoje pastatytos Kėdainių ir Jonavos chemijos gamyklos, Mažeikių naftos perdirbimo gamykla, Ignalinos atominė elektrinė.

Nors ūkio kūrimo sąlygos buvo ir nepalankios, tačiau Lietuvoje, be minėtų energetikos ir chemijos pramonės stambių įmonių, palyginti yra išvystytas žemės ūkis ir maisto perdirbimo pramonė, radioelektronikos ir elektrotechnikos gamyba, lengvoji pramonė.

Kai kuriais gamybos rodikliais vienam gyventojui Lietuva prilygsta ir Vakarų bei Vidurio Europos šalims. Pvz.: mėsos Lietuvoje vienam gyventojui pagaminama 147 kg (JAV - 122 kg, Prancūzijoje - 112 kg, Didžiojoje Britanijoje - 66 kg, Vengrijoje - 167 kg, Švedijoje - 67 kg); pieno - 873 kg (Danijoje - 913 kg, Prancūzijoje - 519 kg, JAV - 268 kg, Didžiojoje Britanijoje - 262 kg, Vengrijoje - 272 kg, Švedijoje - 406 kg); spalvotų televizorių tūkstančiui gyventojų Lietuvoje - 79 (Didžiojoje Britanijoje - 52, JAV - 49, Prancūzijoje - 32, Vengrijoje - 32, Švedijoje - 39).

Gali būti lyginami su Vakarais ir Lietuvos keliai. 1 tūkstantyje km^2 Lietuvoje yra 500 km kelių su kieta danga (Didžiojoje Britanijoje - 1436 km, JAV - 602 km, Švedijoje - 449 km, Vengrijoje - 315 km).

Lithuania has been traditionally an agricultural country, but its incorporation into the USSR was, on the one hand, unfavorable to the development of agriculture (the crop yield of 1940 - 9.4 quintals per hectare - was reached again only in 1960), and, on the other hand, the Soviet industrialization scheme aimed at turning Lithuania into an "industrial" state, thus integrating its economy into the "unified complex of the economy" of the USSR.For several decades the trend was followed to encourage industries demanding little raw material and much skilled labor power. Little by little, though, the turn towards building industrial giants was undertaken. Thus the Kėdainiai and Jonava chemistry plants, the Mažeikiai oil processing plant and the Ignalina nuclear electric power plant were built in Lithuania. Irrespective of the unfavorable conditions and the extensive methods of developing the economy, (apart from above mentioned major enterprises of power economy and chemical industry), Lithuania has a comparatively well-developed agriculture and food-processing industry, production of radioelectronic and electrotechnical goods anda light industry. Lithuania sometimes equals the West and Middle European countries by certain indices of output per capita of the population. For instance, the per capita production of meat in Lithuania is 147 kg (the USA - 122 kg, France - 112 kg, Great Britain - 66 kg, Hungary - 167 kg, Sweden - 67 kg), milk - 873 kg (Denmark - 913 kg, France - 519 kg, the USA - 268 kg, Great Britain - 262 kg, Hungary - 272 kg, Sweden - 406 kg), color TV sets per one thousand of population - 79 (Great Britain - 52, the USA - 49, France - 32, Hungary - 32, Sweden - 39).

The roads in Lithuania can also be compared to those of the West. There are 500 km of hard surface roads in every one thousand square kilometers in Lithuania (1436 km in Great Britain, 602 km in the USA, 449 km in Sweden, 315 km in Hungary).

KAUNAS

KAUNAS

Antras pagal dydį Lietuvos miestas, įsikūręs
didžiausių Lietuvos upių - Nemuno ir Neries -
santakoje. Jame gyvena 429,7 tūkst. gyventojų.
Kaune gaminama 1/4 Lietuvos pramonės produk-
cijos.

Nors Kaunas buvo svarbus Lietuvos centras ir vi-
duramžiais (1408 m. gavo Magdeburgo teises,
veikė Hanzos pirklių kontora, susiformavo euro-
pinės architektūros senamiestis), tačiau svarbiau-
sią vaidmenį Lietuvos istorijoje jis suvaidino XX
amžiuje. Atsikūrus Lietuvos valstybei - Lietuvos
Respublikai ir lenkams atplėšus Pietryčių Lietu-
vą su sostinę Vilniumi, 1919-1940 m. laikinąja
Lietuvos Respublikos sostine buvo Kaunas. Tuo
metu miestas sparčiai augo ir savo modernia ar-
chitektūra lygiavosi į kitas Vakarų Europos šalių
sostines. Kaune veikė universitetas, nuo 1930 m.
pavadintas Vytauto Didžiojo vardu. Žymiausi jo
profesoriai: K. Būga, P. Avižonis, L. Karsavin.
Apskritai Kaunas atspindėjo tuometinės Lietu-
vos Respublikos laimėjimus. Lietuva buvo susi-
kūrusi kuklią, bet ano meto europinį lygį atitin-
kančią ekonomiką (smulkus fermerių ūkis, galė-
jęs eksportuoti žemės ūkio produkciją į Vaka-
rus) ir kultūrą (savarankiškos mokyklos ir kryp-
tys literatūroje bei dailėje, visuotinio švietimo
sistema).

Kaune yra išsaugoti arba atkurti Nepriklausomy-
bės simboliai: Vytauto Didžiojo karo muziejus,
Laisvės varpas, Nežinomo kareivio kapas, valsty-
bės kūrėjų skulptūrų alėja, Laisvės statula. Viena
svarbiausių Kauno įžymybių - Čiurlionio dailės
muziejus. Didžiausia jo vertybė - lietuvių daili-
ninko ir kompozitoriaus M. K. Čiurlionio (1875 -
1911) paveikslai, susilaukę pasaulinio pripažini-
mo. Menininko 100-ąsias gimimo metines (1975
m.) UNESCO įtraukė į pasauliniu mastu pažy-
mimų sukakčių sąrašą.

Pastaruoju metu Kaune atkurtas Vytauto Didžio-
jo universitetas, siekiantis tapti modernia vaka-
rietiška aukštojo mokslo institucija.

Kaunas is Lithuania's second largest city, situa-
ted at the confluence of the two longest rivers of
Lithuania - the Nemunas and the Neris. Its popu-
lation is 429.7 thousand. 1/4 of the output of Li-
thuania's industry is produced in Kaunas.

Although Kaunas was an important center of Li-
thuania already in the Middle Ages (it was gran-
ted the Magdeburg rights in 1408; an office of
the Hansa tradesmen was functioning; the old
part of the town was formed in the tradition of
the European architecture) it played its most im-
portant part in the history of Lithuania in the
20th century. When the new state - the Republic
of Lithuania - was formed and the Poles tore off
the south-eastern Lithuania with the capital Vil-
nius, Kaunas was the provisional capital of the
Republic of Lithuania during the period of 1919
- 1940. The town was rapidly increasing during
these years, and its modern architecture was
oriented to the capitals of other countries. A
University functioned in Kaunas since 1930, na-
med after Vytautas the Great. Its most famous
professors were: K. Būga, P. Avižonis, L. Karsa-
vin.

Generally, Kaunas reflected the achievements of
the Republic of Lithuania at these times. Lithua-
nia had created an economy which, though mo-
dest, was in keeping with the rest of Europe (pet-
ty farming, able nevertheless to export its produ-
ce to the West) and culture (independent scho-
ols and directions in literature and art, and uni-
versal education system).

Symbols of Lithuania's independence: Vytautas
the Great War Museum, the bell of Liberty, Un-
known soldier's tomb, an alley of sculptures of
the state's founders, the statute of Liberty have
been preserved or rebuilt in Kaunas. One of the
main sights in Kaunas is Čiurlionis gallery of art.
Its main treasure is pictures of the Lithuanian ar-
tists and composer M. K. Čiurlionis (1875 -
1911), which have won world - wide recognition.
The 100th birth anniversary of the artist has be-
en included into the list of jubilees, celebrated
all over the world, by the UNESCO.

Recently Vytautas the Great University has been
reestablished in Kaunas, tending to become a
modern Western - type center of higher educa-
tion.

LIETUVOS GAMTA

Laukai ir pievos - 57%
Miškai ir krūmai - 30%
Pelkės - 3%
Vidaus vandenys - 4%
Kitos žemės - 6%

Reljefas: 3/4 teritorijos užima žemumos ir lygumos
Aukščiausia kalva - 293 m virš jūros lygio

Ilgiausia upė - Nemunas - 937 km, Lietuvoje - 475 km. Nemuno baseinui priklauso 71,6% Lietuvos teritorijos

Didžiausias ežeras - 44,8 km^2 - Drūkšiai
Iš viso ežerų (didesnių kaip 0,5 ha) - 2833 (1,5% Lietuvos teritorijos)

Saugoma gamtos teritorija - 327 tūkst. ha (5% Lietuvos teritorijos)

Klimatas - vidutinių platumų, pereinantis iš jūrinio į kontinentinį. Vidutinė temperatūra +6^{0}C (sausio vidutinė temperatūra -5^{0}C, liepos vidutinė temperatūra +17^{0}C). Per pastaruosius 50 metų šalčiausia žiema (-43^{0}C) buvo 1956 m., o karščiausia vasara (+37^{0}C) - 1979 m. Taigi Lietuvoje gana ryškiai skiriasi metų laikai - šaltos ir sniegingos žiemos ir šiltos bei saulėtos vasaros.

NATURE OF LITHUANIA

Fields and meadows - 57%
Forests and bushes - 30%
Swamps - 3%
Inland waters - 4%
Other land - 6%

Relief - 3/4 of the territory consists of low-lying plains
Highest hill - 293 m above sea level

Largest river - the Nemunas - 937 km, of which 475 km in Lithuania.71.6% of Lithuania's territory belongs to the Nemunas's basin

Largest lake - 44.8 sq. km - Drūkšiai
Total number of lakes larger than 0.5 hectare - 2833 (1.5% of Lithuània's territory)

The protected natural area - 327 thousand hectares (5% of Lithuania's territory)

The climate is that of the middle latitudes, changing from the maritime to the continental. The mean yearly temperature is + 6^0 C (average for January being -5^{0}C, average for July +17^{0}C). During the last 50 years the lowest registered temperature was -43^{0}C in 1956, and the highest (+ 37^{0}C) in 1979. Thus, the seasons are differentiated quite distinctly in Lithuania - cold and snowy winters and warm and sunny summers.

SENOVĖS BALTAI IR JŲ PALIKIMAS

Moksle baltais paprastai vadinama grupė indoeuropiečių genčių ir tautų, gyvenusių arba gyvenančių Baltijos jūros rytų pakraštyje ir kalbėjusių arba kalbančių giminiškomis kalbomis, kurios sudaro atskirą indoeuropiečių kalbų šeimos šaką. Šiandien šiai šakai priklauso tik lietuvių ir latvių kalbos.

Baltai ir jų ainiai, lietuviai bei latviai, sėsliai prie Baltijos jūros gyvena mažiausiai 4 tūkstančius metų. Dėl to kartais sakoma, kad tai vienos sėsliausių ir seniausių Europos tautų. Baltų gentys pradėjo formuotis III tūkstantmečio pr. Kr. pabaigoje, kai čia atvyko indoeuropiečiai, kurie pajungė ir asimiliavo vietinius gyventojus. Dar I tūkstantmetyje po Kr. baltų genčių apgyvendintas arealas driekėsi nuo Vyslos iki Dnepro ir Okos upių baseinų rytuose. Vėliau, I tūkstantmečio II pusėje, prasidėjo slavų ekspansija, nulėmusi rytinių baltų asimiliaciją. II tūkstantmečio pradžioje pradėjo formuotis prūsų, jotvingių, lietuvių ir latvių tautos. Tačiau susiformavo tik lietuvių ir latvių tautos; prūsus ir jotvingius nukariavo bei asimiliavo Vokiečių ordinas, vėliau įkūręs Prūsijos valstybę.

Sėslus baltų gyvenimas, matyt, nulėmė tai, kad baltų mitologijoje (jos elementai išliko tautosakoje) yra daug senųjų indoeuropiečių mitologijos bruožų. Šiandieniniame moksle, ypač po A. J. Greimo (garsus semiotikas, lietuvis, gyvenantis Prancūzijoje) tyrinėjimų, išverstų į kitas Europos kalbas, susidomėjimas baltų mitologija vis didėja.

Lietuvių kalba yra labai archaiška. Iš visų gyvųjų indoeuropiečių kalbų ji geriausiai išlaikė senąjį garsyną ir daugelį morfologinių ypatybių, kurias turėjo seniai išnykusios arba dabar nebevartojamos kalbos - hetitų, senovės graikų, sanskrito. Žymus prancūzų lingvistas A. Meillet (1866-1936) yra sakęs: "Tas, kuris nori žinoti, kaip kalbėjo mūsų proseneliai, turi atvažiuoti pasiklausyti, kaip kalba lietuvis valstietis".

Kadangi lietuviai krikščionybę priėmė palyginti vėlai, todėl mūsų liaudies kultūroje ir tradicijose yra gausu archaiškų, iš pagonybės laikų išlikusių elementų. Jų yra ir krikščioniškų švenčių, pvz.: Kalėdų, Velykų ir kt., papročiuose. Galėtume sakyti, kad pagoniškosios šventės yra tik "užsiklojusios" krikščioniškuoju švenčių sluoksniu. Išlikusieji žilos senovės elementai lemia lietuvių folkloro ir tautodailės savitumą.

ANCIENT BALTS AND THEIR HERITAGE

Balts is the term, used in science to name a group of the Indo-European tribes and nations, living or having lived on the eastern coast of the Baltic Sea and speaking or having spoken kindred languages, which form an independent branch of the Indo-European family of languages. Only the Lithuanian and Latvian languages belong to this branch today.

Balts and their descendants, Lithuanians and Latvians, have been constant and settled inhabitants of the Baltic coast for at least 4 thousand years. This is why it is sometimes said that Balts are one of the most settled and ancient nations of Europe. Balts began forming, when Indo-Europeans came to these places at the end of the 3rd millennium B.C. They subjugated and assimilated the local population. Even in the 1st millennium A.D. the area, inhabited by the Baltic tribes, spread from the Vistula to the Dnieper and Oka rivers in the East. Later, in the second half of the 1st millennium, the expansion of Slavs began, determining the assimilation of the Eastern Balts. At the beginning of the 2nd millennium the prūsai (Prussian), jotvingiai (Yatwingian), Lithuanian and Latvian nations began their forming. However, only the Lithuanian and Latvian nations formed completely; the Prussians and Yatwingians were defeated and assimilated by the Teutonic Order, which later established the Prussian state.

The settled life of Balts has probably predetermined the fact that the Baltic mythology (its elements have survived in folk-lore) contains many features of the ancient Indo-European mythology. It is the reason why interest in the Baltic mythology, especially after investigations done by A.J.Greimas (a well-know specialist in semiotics, a Lithuanian, residing in France), is increasingly important in contemporary science.

The Lithuanuan language is also known for its numerous archaisms, having best of all retained the ancient system of sounds and a number of morphological peculiarities, known only from languages extinct or no longer used, such as Hittite, Ancient Greek or Sanskrit. The most famous French linguist A. Meillet (1866 - 1936) has said: "The one who wants to know the way our ancestors spoke, should come and listen to how a Lithuanian peasant speaks".

The late adoption of Christianity predetermined the abundance of archaic elements, surviving since heathen times in the conteporary Lithuanian culture and traditions. They exist even in the customs of the Christian holidays: Christmas, Easter Sunday, etc. One might say that the Christian holidays are as if an upper stratum, placed over the basis of the ancient one. This archaism predetermines the uniqueness of the Lithuanian folk-lore and folk art.

LIETUVIAI IR ETNINĖS MAŽUMOS

Lietuvoje gyvena:
2924 tūkst. lietuvių (79,6%)
344 tūkst. rusų (9,4%)
258 tūkst. lenkų (7%)
63 tūkst. baltarusių (1,7%)
45 tūkst. ukrainiečių (1,2%)
12 tūkst. žydų (0,3%)
Be to, nuo seno Lietuvoje gyvena totoriai, karaimai ir kitų tautybių žmonės.

Lietuvių tauta susiformavo kuriantis Lietuvos valstybei XIII a. Teritorija, kurioje buvo kalbama lietuviškai, apėmė 110 tūkst. km². Tačiau dėl slavizacijos, ypač XIX a., pradėjo mažėti. XX a. negandos plačiai išblaškė lietuvius po pasaulį. Į Vakarus pasitraukė ir daugelis inteligentų. Tarp jų - šiandien įžymūs mokslininkai: meno istorikas J. Baltrušaitis (1903-1988), archeologė M. Gimbutienė, semiotikas A. J. Greimas ir kt. Dabar Lietuvos Respublikoje gyvena 80% visų lietuvių, 15% - Vakarų šalyse, 5% - Sovietų Sąjungoje.

Rusai, baltarusiai, ukrainiečiai. Nors rytų slavų gyventa Vilniuje nuo XIV a., o rusų emigracija į Lietuvą iš Rusijos prasidėjo jau XVII a., vis dėlto daugiausia šių tautybių žmonių atsikėlė į Lietuvą po II pasaulinio karo.

Lenkai. Bendra Lenkijos ir Lietuvos valstybių istorija sudarė sąlygas labai anksti į Lietuvą, ypač Vilnių, keltis lenkams, daugiausia dvasininkams ir amatininkams. Kita Lietuvos lenkų dalis kilusi iš XIX-XX a. I pusėje polonizuotų lietuvių ir kitų vietos gyventojų. Dėl istoriškai susidariusių aplinkybių Lietuvos lenkai gyvena kompaktiškai, tam tikru spinduliu apie Vilnių.

Žydai - seni Lietuvos gyventojai. Jų istorija Lietuvoje prasideda XIV a., kada Lietuvos didieji kunigaikščiai kviesdavosi iš Vakarų Europos pirklius ir amatininkus. Lietuvoje visais laikais vyravo tautinė bei religinė tolerancija, todėl nebūta ir antisemitizmo. Tačiau II pasaulinio karo metais Lietuvoje, kaip ir kitose Vokietijos užimtose šalyse , žydus ištiko hitlerinis genocidas - buvo sunaikinta per 90% Lietuvos žydų. Lietuvos kultūroje žydai yra suvaidinę reikšmingą vaidmenį. Vilnius iki šiol žydų kultūroje vadinamas Lietuvos Jeruzale. Iš Lietuvos yra kilę pasaulinio garso menininkai Ch. Soutine, J. Lipshitz, J. Heifetz.

LITHUANIANS AND ETHNIC MINORITIES

Lithuania is inhabited by:
2,924 thous. Lithuanians (79.6%)
344 thous. Russians (9.4%)
258 thous. Poles (7%)
63 thous. Byelorussians (1.7%)
45 thous. Ukrainians (1.2%)
12 thous. Jews (0.3%)
Besides, Tatars, Karaites and people of other nationalities reside in Lithuania from ancient times.

Lithuanians - formed a nation simultaneously with the forming of the Lithuanian state in the 13th century. The Lithuanian-speaking territory embraced 110 thous. sq. km. However, this area continued to grow narrower due to the process of Slavonization, especially in the 19th century. The calamities of the 20th century dipersed the Lithuanians all around the world. At present 80% of all Lithuanians live in the Republic of Lithuania, 5% - in the USSR and 15% - in the Western Countries.

Russians, Byelorussians, Ukrainians - although East Slavs used to live in Vilnius since the 14th century, and immigration from Russia to Lithuania began in the 17th century, the vast majority of the representatives of those nations settled down in Lithuania after World War II.

Poles - the common history of the Lithuanian and Polish states made it possible for the Poles, first of all priests and craftsmen, to settle in Lithuania, especially in Vilnius, very long ago. The other part of the Lithuanian Poles originates from the process of Polonization, which was going on in Lithuania in the 19th and the first half of the 20th century. It is due to those circumstances that the Lithuanian Poles live in compact area, encircling Vilnius like a ring.

Jews - an ancient nationality in Lithuania. Their history in Lithuania began in the 14th century, when the Lithuanian Grand Dukes began inviting merchants and craftsmen to the country from West Europe. The Lithuanian Jews have played a significant part in the culture of Lithuania. National and religious tolerance were dominating in Lithuania at all times, therefore anti-Semitism was never encountered here. However, during World War II in Lithuania, as well as in other countries, occupied by Germany, the Nazi genocide was in store for Jews. Over 90% of the Lithuanian Jews were exterminated. Some world-famous figures in culture (J. Lipshitz, Ch. Soutine, J. Heifetz) came from among the Lithuanian Jews. Vilnius is often called the Lithuanian Jerusalem in the Jewish culture.

KONFESIJOS

Lietuva paskutinė Europoje priėmė krikščionybę (1387 m.). Ši aplinkybė greičiausiai ir nulėmė religinę toleranciją, kuria pasižymėjo tiek Lietuvos Didžioji Kunigaikštystė, tiek vėlesnių laikų Lietuva.
Šiandien Lietuvoje daugiausia katalikų (lietuviai ir lenkai). Buvusiame Klaipėdos krašte (iki XX a. pradžios priklausiusiame Vokietijai) yra lietuvių evangelikų liuteronų, o evangelikų reformatų - apie Biržus. Rusai, ukrainiečiai bei baltarusiai daugiausia yra stačiatikiai arba sentikiai.

Veikiančios bendruomenės:

katalikų - 630
sentikių - 52
stačiatikių - 41
evangelikų liuteronų - 25
evangelikų reformatų - 5

CONFESSIONS

Lithuania was the last country in Europe to adopt Christianity (1387). To this circumstance is contributed the religious tolerance, characteristic both to the Grand Duchy of Lithuania and to Lithuania of the New Ages.
The main confession in Lithuania today is Catholicism (the believers are both Lithuanians and Poles). Among the Lithuanian believers there are also Evangelic Lutherans. The Lutheran communities were mainly concentrated in the former Klaipėda territory (it belonged to Germany until the beginning 20th century), while the Evangelic Reformed Church was concentrated around Biržai. The Russian, Ukrainian and Byelorussian believers belong mostly to the Russian Orthodox and Old Believer communities.

The number of functioning communities today:

Catholic - 630
Old Believers - 52
Russian Orthodox - 41
Evangelic Lutheran - 25
Evangelic Reformed Church - 5

BALTIJOS JŪRA, KURŠIŲ NERIJA IR MARIOS

Lietuvai priklauso 99 km Baltijos pajūrio, iš kurio 54 km tenka Kuršių nerijai - smėlio pusiasaliui, skiriančiam Baltiją nuo lagūnos, vadinamos Kuršių mariomis (viso pusiasalio ilgis 98 km; pusiasalio plačiausia vieta 3,8 km, siauriausia - 380 m). Baltijos jūrą su Kuršių mariomis jungia 0,5 km pločio Klaipėdos sąsiauris, prie kurio yra Klaipėdos uostamiestis, pagal dydį trečias Lietuvos miestas.

Kuršių nerija savo geografine padėtimi ir gamtos vaizdais išsiskiria iš viso Lietuvos gamtovaizdžio. Pagrindinis ir svarbiausias Kuršių nerijos reljefo elementas - kopos, kurių vidutinis aukštis apie 30 m, tačiau yra nemažai kopų, siekiančių 50-60 m. XVIII a., iškirtus mišką, Kuršių nerija virto ištisa smėlio dykuma. Buvo užpustyta keliolika žvejų kaimų, susiformavo naujos kopos. Kaip tik tada susidarė didysis išilginis kopagūbris, nutįsęs Kuršių marių pakrante. XIX a. buvo pradėti intensyviai želdinti labiausiai slenkančių kopų ruožai. Taigi dabartinis Kuršių nerijos gamtovaizdis yra žmonių sukurtas per pastaruosius 200 metų. Šiuo metu apie pusę didžiojo kopagūbrio yra apželdinta kalninėmis pušimis, o iš viso mišku apaugę 2/3 Kuršių nerijos (Lietuvos dalyje - 97%).

Dabar pagrindinę Kuršių nerijos teritoriją sudaro draustiniai, rezervatai (77%) ir rekreacinė zona (23%), kurioje yra svarbios Lietuvos poilsiavietės.

Nuolatiniai Kuršių nerijos gyventojai nuo seno verčiasi žvejyba Kuršių mariose.

THE BALTIC SEA. THE KURŠIŲ NERIJA AND THE KURŠIŲ (COURLAND) LAGOON

99 km of the Baltic coast belongs to Lithuania, of which 54 km are in the Kuršių (Courland) Nerija - a sandy peninsula, separating the Baltic Sea from the Kuršių Lagoon (the total length of the peninsula is 98 km; its widest spot is 3.8 km, while the narrowest one - 380 m). The Baltic Sea is connected to the Kuršių Lagoon by a 500 m - wide Klaipėda strait, in the vicinity of which Klaipėda, the third largest town of Lithuania and its only seaport, is situated.

The Kuršių Nerija stands out against the entire landscape of Lithuania by its unique geographical situation and sights, as well as by its nature. The main and most important element of the Kuršių Nerija is its dunes, the average height of which is about 30 m, but there is a number of dunes reaching 50-60 meters.

When actually all the forests were felled in the Nerija in the 18th century, the spit was turned into a complete sand desert. Not only over a dozen fishermen's settlements were buried under the sand, but also new dunes kept emerging. It was then that the great longitudinal ridge of dunes was formed, stretching along the coast of the Kuršių Lagoon. In the 19th century a vigorous effort at planting trees in the most mobile dune areas was undertaken. Thus, the present-day landscape of the Kuršių Nerija was formed in the course of the last 200 years, and it is man-made. At present about one half of the great dune ridge is planted by mountain pines, while in general two-thirds of the Kuršių Nerija territory is covered by forest (97% in the Lithuanian part of the peninsula).

Now the main area of the Kuršių Nerija consists of reservations and restriction zones (77%), the rest is recreation zone (23%), which houses famous health resorts. The permanent residents of the Kuršių Nerija make their living by fishing traditionally in the Kuršių Lagoon.

ATGIMIMAS

Ginkluota pokario rezistencija Lietuvoje vėliau perėjo į politinę bei moralinę, 1988 m. prasiveržusią Sąjūdžiu.

1988.VI.3 - susikuria Lietuvos Persitvarkymo Sąjūdžio iniciatyvinė grupė

1988.VI-VIII - šimtatūkstantiniai Sąjūdžio mitingai - lemiamas posūkis šių dienų Lietuvos istorijoje

1988.X.22-23 - pirmasis Sąjūdžio suvažiavimas

1989.VIII.23 - "Baltijos kelias". Protesto akcijoje dalyvauja apie 2 mln. žmonių, gyvąja grandine sustojusių 650 km kelyje nuo Vilniaus iki Talino

1990.II.24 - rinkimai į Lietuvos TSR Aukščiausiąją Tarybą. Iš 141 deputato - 106 remiami Sąjūdžio

1990.III.11 - Lietuvos Respublikos Aukščiausioji Taryba paskelbia Lietuvos nepriklausomybės atkūrimą

1991.I.13 - pučo Maskvoje "repeticija" - bandymas nuversti teisėtą Lietuvos valdžią

1991.VIII-IX - žlugus pučui Maskvoje, Lietuvos Respubliką pripažino daugelis pasaulio valstybių

1991.IX.17 - Lietuvos Respublika priimta į Jungtinių Tautų Organizaciją

REBIRTH

The armed post-war resistence in Lithuania later transformed into a political and moral one, which erupted under the name of Sąjūdis (Movement) in 1988.

June 3, 1988 - the Initiative Group of the Lithuanian Movement for Perestroika (Sąjūdis) was formed

June-August, 1988 - hundred-thousand-strong rallies of the Sąjūdis - the decisive turn in the contemporary history of Lithuania

October 22-23, 1988 - the first congress of the Sąjūdis

August 23, 1989 - the "Baltic Way". A protest action, attended by about 2 million people, forming a live chain along the 650 km-long road from Vilnius to Tallinn

February 24, 1990 - election to the Supreme Soviet of the Lithuanian SSR. 106 deputies out of 141 are backed by the Sąjūdis

March 11, 1990 - the Supreme Council of the Republic of Lithuania proclaims the restitution of independence of the Republic of Lithuania

January 13, 1991 - "rehearsal" of the putsch in Moscow - an attempt to overthrow the legal state power of Lithuania

August-September, 1991 - after the collapse of the putsch in Moscow Lithuania is recognized by most of the world's states

September 17, 1991 - the Republic of Lithuania accepted to the United Nations Organization

LITERATURE ABOUT LITHUANIA

Die Baltischen Nationen: Estland, Lettland, Litauen/ Hrsg. Boris Meissner. - Köln: Narkus, 1990.

The Baltic states in peace and war 1917-1945/ Ed. by Stanly Vardys, Romuald J. Misiunas. - London: The Pensylvania State Univ. Press, 1978.

Gimbutiene M. The Balts. - London: Thames and Hudson, 1963.

Lithuania: An encyclopedic survey/ Adomonis T., Aprijauskyte R., Bagušauskas J. a. o.; Ed. - chief J. Zinkus. - Vilnius: Encyclopedia, 1986.

Lithuania: 700 years/ Ed. by Albertas Gerutis - 5th rev. ed. - New York: Manyland Books, 1969.

Misiunas R. J., Taagepera R. The Baltic States: Years of dependence 1940-1980. - Berkely, Los Angeles: Univ. of California Press, 1983.

Remeikis T. Opposition of Soviet rule in Lithuania 1945-1980. - Chicago: Inst. of Lithuanian Studies Press, 1980.

Senn A. E. Lithuania awaking. - Berkely: Univ. of California Press, 1990.

Žindžiūtė-Michelini B. Lituania. - Milano: NED, 1990.

LIETUVA - LITHUANIA

Fotografijų autorius Antanas Sutkus

Sudarytojas ir tekstų autorius Alfredas Bumblauskas

Redaktorė P. Norušaitytė

Dailininkas E. Karpavičius

Vertėjas R. Skiauteris

Duota rinkti 1991 11 25. Pasirašyta spaudai 1991 12 16. S. L. Nr.416 A.
Formatas 62x94/12. Popierius kreidinis. Garnitūra "Times".
Ofsetinė spauda.
Tiražas 25 000 egz. Užsakymas 1703. Kaina sutartinė.
Lietuvos fotomenininkų sąjungos fondas, 2600 Vilnius, Universiteto 4
Spaudė J. Kolaso spaustuvė, Minskas